Claire Bretécher

AGRIPPINE

PREND VAPEUR

D0488213

Librio

Texte intégral

DU MÊME AUTEUR

EN LIBRIO

© Claire Bretécher, 1991
Hyphen SA - Paris
130, boulevard Péreire - 75017 Paris
Tél : 01 43 18 20 18
Fax : 01 43 18 20 19
E-mail : hyphen@wanadoo.fr

GUEULE D'ORACLE

4

5

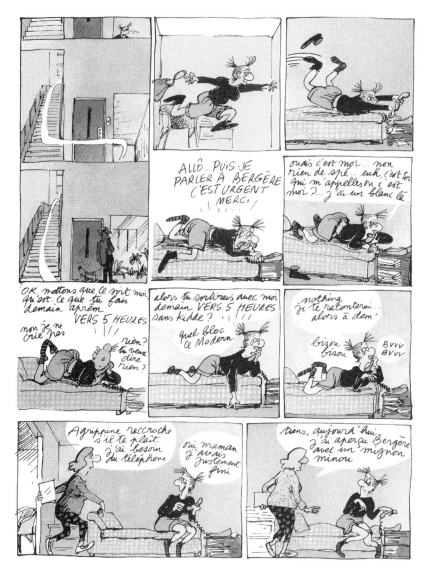

7

SOUPÇONS CRUS

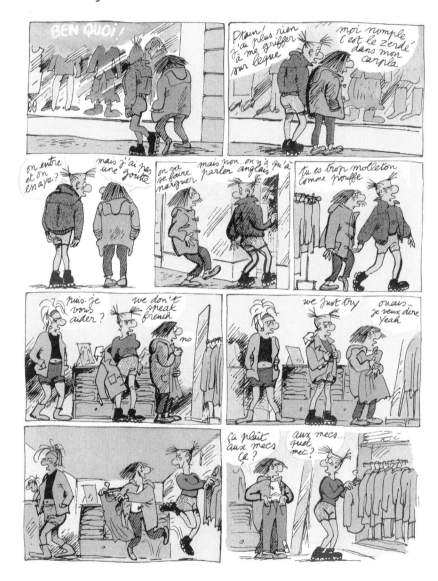

SOUPÇONS CUITS

ils sont sortis ensemble tout le samedi pendant que la mère de Bergère était à son week-end tellurique

dimanche Bergère a déménagé chez la mère de Mirtil... elle a pris six culottes sa trousse de toilette et le Discours de la Méthode de Pascal

je le sais par le double demi de Chlorine Bankrut qui baby-sitte chez la meilleure copine du demi de Mirtil

je suis au courant depuis 3000 ans pauvre grumeau, mais moi, en tant que nouffle, je ferme ma gueule

avec toi Lauren Bacall et Humphrey auraient pas eu le temps de se regarder que tout le lycée leur aurait offert des préserves

BRETECHER

CHAUD-FROID DE MORUE

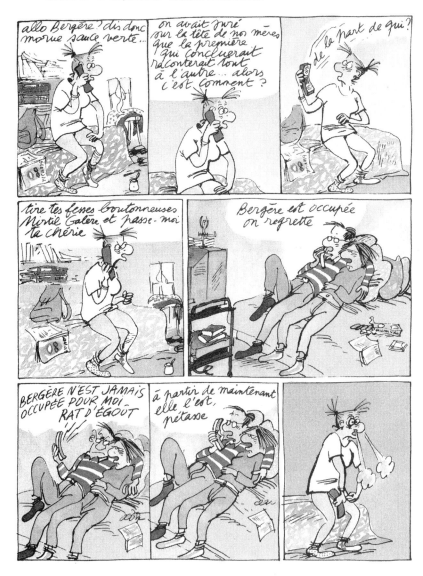

LE DOIGT DANS L'

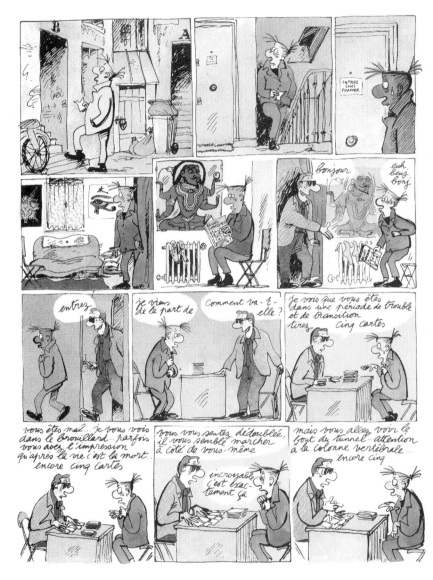

15

FUSÉES FOLLES

TENUE DE SOIRÉE

21

A STAR IS MORNE

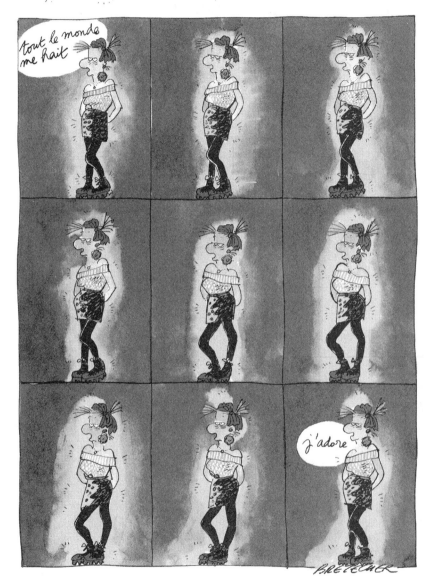

COULEURS

SCOLLAGE

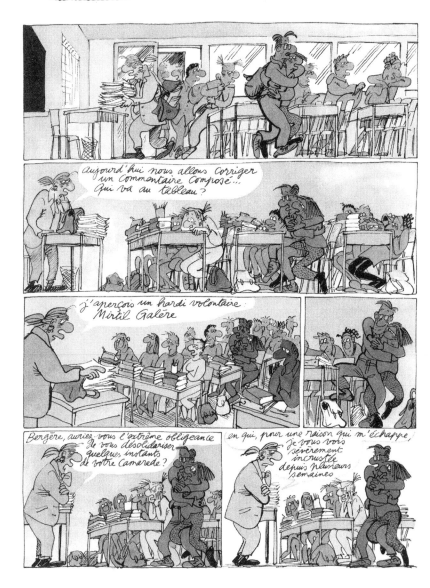

VOLTE.FACES

ENTRECHAT

LENDEMAINS

SUCRERIES

ATMOSPHÈRES

35

TanaGra

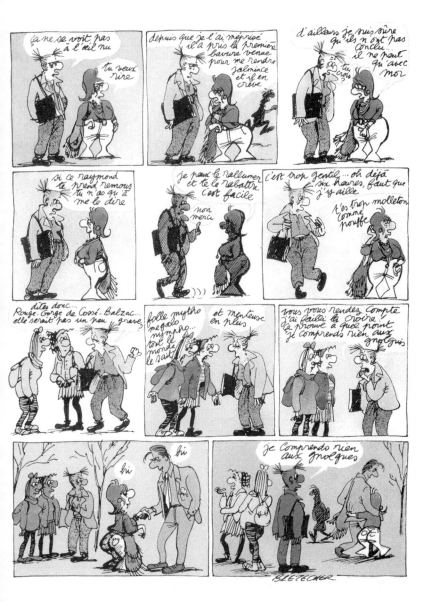

37

tante Médique

RUMEURS

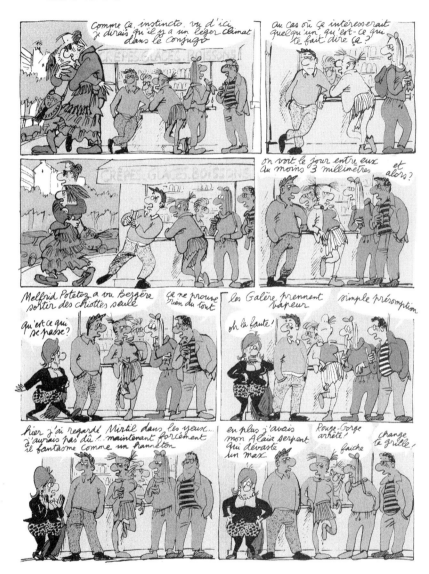

40

Coup de mou

SPORTS

VAPEUR

45

REVAPEUR

46

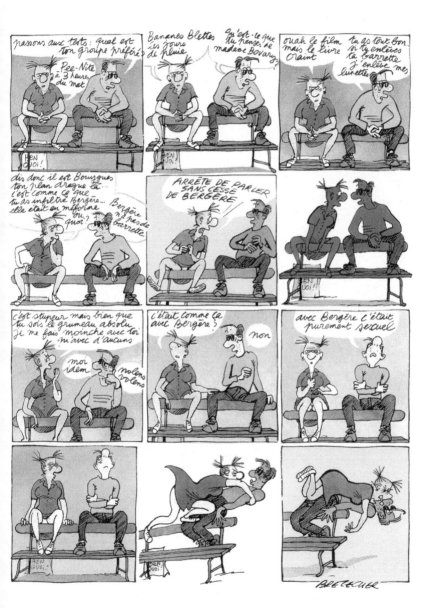

Librio

739

Composition PCA – 44400 Rezé
Achevé d'imprimer en Allemagne par GGP
en décembre 2005 pour le compte de E.J.L.
87, quai Panhard-et-Levassor, 75013 Paris
Dépôt légal décembre 2005

Diffusion France et étranger : Flammarion